est le père de

est le fils de

M. Paddle

Papy Paddle

est le meilleur client de

a comme profs

aime aller à la salle d'arcade de

Joystick Billy

Benjamin Benjamin

Est le chien de Garde de

Augustin Glossaure

RADAR

Mirador

SLIME PROJECT

SCÉNARIO ET DESSIN : MIDAM
COULEURS : ANGÈLE

MAD FABRIK

www.midam.be — www.madfabrik.com — www.kidpaddle.com – www.gameoverforever.com

Dépôt légal : novembre 2012 — D/2012/12.212/5
ISBN 978-2-9306-1827-2 — NUART 65-2864-0
Midam © MAD Fabrik 2012

Impression : Lesaffre – Belgique

SALUT BIG BANG !

MA COMMANDE EST PRÊTE ?

TOUT À FAIT ! DEUX LITRES D'ALCOOL POLYVINYLIQUE GÉLIFIÉ PAR DU BORAX !

C'EST QUOI ?

C'EST PLUS CONNU SOUS LE NOM GÉNÉRIQUE DE... SLIME !

MAIS ÇA SERT À QUOI ?

ABSOLUMENT À RIEN !

C'EST ÇA LE PLUS COOL !

BBLOOOOP

ON DIRAIT UN E.T. FONDU...

C'EST VISQUEUX, C'EST RÉPUGNANT, C'EST GLUANT... ET ÇA NE SERT À RIEN !

C'EST GÉNIAL !

ET ÇA S'ÉVAPORE ?

SI ÇA S'ÉVAPORE ?! EUH... NON, C'EST UN GEL ASSEZ STABLE... DRÔLE DE QUESTION !

BEN, ALORS, POURQUOI IL N'Y A PLUS RIEN ?

ÇA ALORS ! C'EST PASSÉ ENTRE LES INTERSTICES DU PLANCHER !

OUPS ! TU AS TOUJOURS LE MÊME VOISIN DU DESSOUS ?

LE BLOB ! LE BLOB ARRIVE ! JE... AAARGLLL !

QU'EST-CE QUE C'EST QUE CETTE CORNICHONNERIE ?!

"LE BLOB. FILM AMÉRICAIN DE 1988. UNE MASSE GÉLATINEUSE ATTAQUE LES HABITANTS D'UN VILLAGE EN LES ENGLOUTISSANT UN PAR UN"

GÉNIAL ! ÇA VA ÊTRE UNE SUPER SOIRÉE...

ARGLLL !

SALUT GRUNT! T'AS PAS L'AIR DANS TON ASSIETTE AUJOURD'HUI?!

C'EST LE PRINTEMPS! JE SUIS ALLERGIQUE AU POLLEN...

J'ARRÊTE PAS DE... DE... DE... AAAAH

... D'ÉTERNUER?

TCHA!

TIENS, C'EST MARRANT, TU FERMES LES YEUX QUAND TU ÉTERNUES, TOI?

BEN, OUI... PAS TOI?

BEN NON, ÇA SERT À QUOI?!

À RIEN... EUH, C'EST COMME ÇA... LA PROCHAINE FOIS, J'ESSAIERAI LES YEUX OUVERTS!

AH? ÇA RECOMMENCE...

C'EST LE MOMENT D'ESSAYER!

AAAAH

.TCHA.!

HA! HA!

HA! HA! HA! HA! ARG! ARG!

TRÈS DRÔLE... VRAIMENT...

URG! URG!

...APRÈS QUELQUES CENTAINES DE MILLIERS D'ANNÉES, L'ÉVOLUTION A FAIT SON TRAVAIL ET IL N'EST PLUS POSSIBLE AUJOURD'HUI D'ÉTERNUER EN OUVRANT LES YEUX!

FINIES LES BLAGUES IDIOTES DE L'ÂGE DE PIERRE...

VOTRE EXPOSÉ EST COMPLÈTEMENT NUL, PADDLE! HORACE, SUIVANT!

BONJOUR À TOUS ET À TOUTES! JE VAIS VOUS PARLER DE GALILÉE QUI A FAIT DE LA PRISON PARCE QU'IL A ÉTÉ LE PREMIER À FAIRE TOURNER LA TERRE!

LA JOURNÉE VA ÊTRE LONGUE...

494

481

6

BON, JE VAIS TE MONTRER QUELQUE CHOSE DE TRÈS SPECTACULAIRE...

... MAIS PROMETS-MOI DE NE PAS CRIER!

SI TU VEUX, JE T'APPRENDRAI À LE FAIRE, TU POURRAS ÉPATER TES COPAINS À L'ÉCOLE!

COOL!

VOILÀ! JE SUIS CAPABLE DE ME TRANSFORMER EN POISSON!

EN... EN POISSON?!

TOUS LES PADDLE SONT POLYMORPHES: MON PÈRE PEUT SE TRANSFORMER EN IGUANE, MOI, EN POISSON, TOI, ON NE SAIT PAS ENCORE...

SI TU AS UN PEU DE CHANCE, CE SERA PEUT-ÊTRE UN DINOSAURE...

C'EST VRAI?!

CALME-TOI ET REGARDE!

LE BUT EST DE MODIFIER, EN DOUCEUR, ...

.. L'AGENCEMENT ET L'ASPECT...

... DE CHAQUE CELLULE!

ET VOILÀ LE TRAVAIL!

WOAW!

GÉNIAL!

APPRENDS-MOI! APPRENDS-MOI!

CHUUUUT! TU VAS RÉVEILLER TA SOEUR!

ELLE N'EST AU COURANT DE RIEN!

BLOB BLOB JE SUIS UN POISSON!

HA! HA! J'EN CONNAIS UN QUI VA FRIMER À L'ÉCOLE!

480

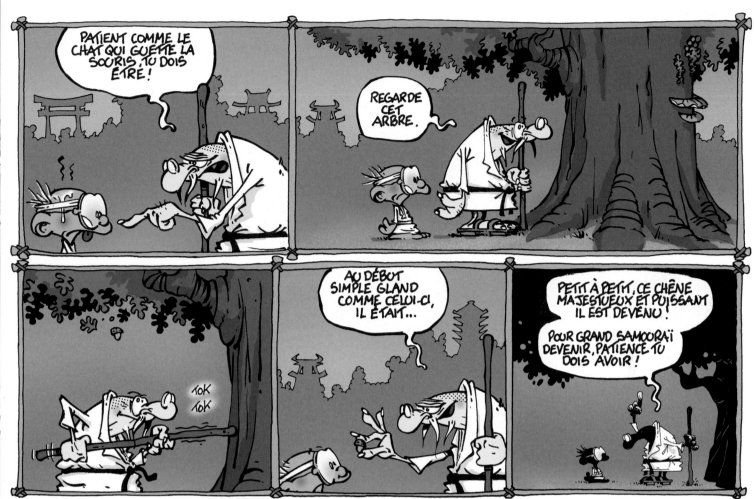

ZARA

495A

495B

KID ?!

EXCELLENT CLIENT, ÇA !

J'AIMERAIS LUI OFFRIR QUELQUE CHOSE QUI LE SURPRENNE...

MMH...OUI, TU AS RAISON !

POOR KID, IL FAUT DU LOURD ...

C'EST UN CLIENT EXIGEANT !

ZOMBIE

C'EST CECI QU'IL LUI FAUT !

ÇA ?! MAIS, C'EST UNE BÊTE TÊTE À COIFFER ?!

ZOMBIE

DRAMATIQUE ERREUR, MA CHÈRE !

UN COUP DE BROSSE ET ...

ZOMBIE

TADAM ♪

...DU SLIME COULE DES YEUX ET DE LA BOUCHE !

MON DIEU !

BLBLBL ZZZZZZZ

GRÂCE À UNE PETITE POMPE ÉLECTRIQUE ...

EMBALLAGE CADEAU, JE SUPPOSE ?

MERCI BILLY !

BBLBL ZZZZZ ZZZ

ZOMBIE

...AU NIVEAU 3, IL FAUT SORTIR DU SOUS-MARIN, TUER LE POULPE MUTANT, REMONTER LA RIVIÈRE ET TRAVERSER LA CASCADE !

WOAW !

ENSUITE, IL FAUT BOIRE 2 LITRES D'EAU MAGIQUE ET NAGER JUSQU'AU ...

EUH... PAUSE PIPI !

J'ARRIVE !

KID ?

495C

KID LE CAMÉLÉON A L'EXTRAORDINAIRE CAPACITÉ DE MODIFIER SA COULEUR!

IL EST CAPABLE DE SE FONDRE DANS LE DÉCOR ET DE DEVENIR INVISIBLE!

BIG BANG LE TIGRE EST LE ROI DU CAMOUFLAGE. SA FOURRURE ROUSSE ET SES RAYURES NOIRES ...

... LUI PERMETTENT DE SE FONDRE DANS LES HAUTES HERBES SÈCHES!

HORACE LE POULPE A LA FACULTÉ INOUÏE DE CHANGER LA COULEUR ET LA STRUCTURE DE SA PEAU!

GRÂCE À CE DON, IL PASSE TOTALEMENT INAPERÇU!

LE CHAPITRE SUR L'ACCORD DU PARTICIPE PASSÉ DES FORMES SURCOMPOSÉES EN PROPOSITIONS COMPLÉTIVES EST TERMINÉ!

BIEN. À PRÉSENT, JE VAIS CHOISIR QUELQU'UN QUI VA NOUS RÉEXPLIQUER TOUT ÇA AU TABLEAU!

487

491A

AUJOURD'HUI DANS **TOP CHEF**, NOUS ACCUEILLONS LE CANDIDAT KID PADDLE!

SUSHI!

IL DEVRA NOUS CONCOCTER UN DESSERT À BASE DE BISCUITS ET DE BROWNIES REVISITÉS.

ON ATTEND UN PLAT GOÛTEUX ET SURPRENANT!

AH? ON DIRAIT QUE LE CANDIDAT EST VENU AVEC SON PROPRE MATÉRIEL...

IL COMMENCE PAR ÉMIETTER LES BISCUITS DANS CETTE ESPÈCE DE BASSIN EN PLASTIQUE...

BIZARRE...

KRRRRKR

TIENS? ON DIRAIT QU'IL PASSE LES BROWNIES AU MICRO-ONDES...

QUELQUES SECONDES SUFFISENT!

MMMMMM DING

AH OUI! IL LES RAMOLLIT POUR POUVOIR LES MODELER!

C'EST MALIN, ÇA! C'EST INTELLIGENT!

IL COMMENCE À DRESSER SON ASSIETTE...

ON EST SUR QUELQUE CHOSE DE TRÈS GRAPHIQUE!

PETITES DÉJECTIONS DE BROWNIE SUR SON LIT (IÈRE) DE BISCUIT!

LE DÉTAIL DE LA PETITE PELLE EST SUBLIME!

BELLE PRISE DE RISQUE!

LE JURY EST CONQUIS!

GÉNIAL!

TOUTEFOIS, UN LÉGER BÉMOL POUR LE GOÛT, L'ENSEMBLE DU JURY N'AYANT PAS ÉTÉ UNANIME.

TIENS? TU EN AS FAIT DES SALÉES AUSSI?

BEN, NON.

GRAT GRAT GRAT

17

493

IL Y A QUELQUES SEMAINES ENCORE, J'ÉTAIS UNE FEUILLE EN PLEINE FORME AVEC UN EXCELLENT TAUX DE CHLOROPHYLLE !

JE CROIS QUE TOUT A COMMENCÉ PAR UNE DÉCOLORATION JAUNÂTRE ET UNE SENSATION DE RAIDEUR.

LE PHÉNOMÈNE S'ACCENTUA ET VIRA VERS LES ROUGES VIOLACÉS...

ÇA ME FAISAIT PENSER DE PLUS EN PLUS À...

...DES LIVIDITÉS CADAVÉRIQUES !

JE DEVAIS ME RENDRE À L'ÉVIDENCE...

J'ENTRAIS, VIVANTE, EN ÉTAT DE PUTRÉFACTION !

BONG   BONG

AUJOURD'HUI, JE SUIS UNE FEUILLE MORTE VIVANTE ET IL ME FAUT DE LA...

CHLOOOROOOPHYLLE

MA SAISON PRÉFÉRÉE, C'EST L'AUTOMNE !

IL DIT QUE SA SAISON PRÉFÉRÉE, C'EST L'AUTOMNE !

J'ÉTAIS CERTAINE QUE CE GARÇON ÉTAIT ROMANTIQUE !

482

19

OUI, C'EST ÇA...

J'AI DIT QUE TU POUVAIS CHOISIR UNE FIGURINE...

C'ÉTAIT IL Y A 2 HEURES.

MAINTENANT, CE SERAIT BIEN QUE TU TE DÉCIDES ...

PAS ÉVIDENT...

ON VA FERMER.

ZOMBIE Planet

486B

CE N'EST PAS TRÈS COMPLIQUÉ DE CONSTRUIRE UNE CHOUETTE MAISON EN CARTON FORT...

IL FAUT DES MURS AVEC DES FENÊTRES ET DES PORTES, IL FAUT AUSSI UN TOIT...

...ET UNE CHEMINÉE.

ÉVIDEMMENT, PLUS IL Y A DE DÉTAILS, PLUS CE SERA RÉUSSI !

LA PREMIÈRE ÉTAPE EST TERMINÉE.

ALORS KID, ON FABRIQUE DES MAISONNETTES ?!

TU VEUX QUE JE TE PRÊTE UNE POUPÉE ?

MAINTENANT, VOUS DEVEZ HUMIDIFIER VOTRE MAISON ...

...LA SAUPOUDRER DE FARINE

...ET LAISSER LE TEMPS FAIRE SON OEUVRE.

LA MOISISSURE RECOUVRIRA PETIT À PETIT VOTRE MAISON POUR EN FAIRE LA PLUS COOL DES MAISONS HANTÉES !

PAF

498

VOUS POUVEZ Y ALLER.

...ET JE VOUS RAPPELLE QUE DEMAIN NOUS VISITERONS LA GRANDE VOLIÈRE DE L'INSTITUT ZOOLOGIQUE!

COOL!

GÉNIAL!

TU N'AS PAS L'AIR CONTENT... TU N'AIMES PAS LES OISEAUX?

NON. PAS APRÈS AVOIR VU UN CERTAIN FILM...

IL Y AURA DES CANARDS?

LEQUEL?

LA NUIT DU MOINEAU PSYCHOPATHE?

NON.

"LES OISEAUX" D'ALFRED HITCHCOCK.

HORRIBLE!

DES OISEAUX DEVIENNENT FOUS ET SE METTENT À ATTAQUER DES GENS ...

ET QUAND DES OISEAUX ATTAQUENT, ILS S'EN PRENNENT DIRECTEMENT AUX YEUX!

PAS JOLI JOLI À VOIR...

ET LES LUNETTES NE PROTÈGENT PAS! ILS PASSENT DERRIÈRE AVEC LEUR PETIT BEC!

GLOUP!

GLOUP!

L'OISEAU EST LE DESCENDANT DU DINOSAURE!

HORACE, LE TUBA N'ÉTAIT PAS NÉCESSAIRE...

ON N'EST JAMAIS TROP PRUDENT!

496

AUJOURD'HUI, ON EST LE 31 OCTOBRE ET C'EST HALLOWEEN! ON VA APPRENDRE À SCULPTER DES CITROUILLES!

MODÈLE DE BASE AU TABLEAU!

GÉNIAL!

N'OUBLIEZ PAS QU'AVANT DE DESSINER LE MOTIF, IL FAUT VIDER LA CITROUILLE...

"VIDER LA CITROUILLE", "VIDER LA CITROUILLE", C'EST FACILE À DIRE, C'EST VRAIMENT DÉGOÛTANT!

C'EST VRAI QUE C'EST TRÈS BEURK!

C'EST FINI, ON VA POUVOIR COMMENCER À DESSINER.

J'AI UNE IDÉE POUR LE MOTIF!

SALUT ZARA!

JE PEUX TE DÉBARRASSER DE TES GRAINES?

EUH... OUI, BIEN SÛR!

MERCI!

NON, NON! MERCI À TOI, KID!

C'EST TRÈS ATTENTIONNÉ DE TA PART!

TU AS VU ÇA?

IL A COMPRIS QUE C'ÉTAIT UN PEU DÉGUEU POUR UNE FILLE!

JE CROIS QUE ÇA VEUT DIRE BEAUCOUP PLUS QUE ÇA!

AH BON?

BEN, RÉFLÉCHIS...

TU NE VOIS PAS?

488A

488B

Hiii iiii!

BAOM

506

TU VOIS QUE CE N'ÉTAIT PAS LE ROSE !

LE ROSE, C'EST DANGEREUX !

JEU COMPLÈTEMENT MACHO ...

GAME OVER

MIDAM-NETCH-PATELIN

30

L'INFIRMIÈRE CRACHAIT DANS LA SERINGUE!

MANGA! JE COMPRENDS POURQUOI C'EST INTERDIT AUX MOINS DE 18 ANS!

TERRIBLE, HEIN?

ÇA A VRAIMENT L'AIR D'UN FILM POUR DÉTRAQUÉS...

TU RIGOLES? IL A REÇU 3 INTESTINS D'OR AUX GORE AWARDS!

BONJOUR MONSIEUR, UNE PLACE POUR "L'INFIRMIÈRE CRACHAIT DANS LA SERINGUE", MERCI!

OUI, C'EST PARFAIT! ALLEZ, ON Y VA!

HO... HORACE?!

AH, SALUT ZARA! ÇA VA?

HORACE, C'EST TOI?

OUI, J'AI GRANDI VITE, HEIN?

IL A EU UN COUP DE MAIN!

?

SURPRISE!

KID?!

SALUT!

...ET COMME ÇA, ON PARAÎT PLUS QUE 18 ANS! GÉNIAL, HEIN?

MMH... ON M'AVAIT DIT QUE VOUS ÉTIEZ... SPÉCIAUX!

BON, ALLEZ SALUT! ON TE RACONTERA LE FILM!

BONJOUR MONSIEUR, UNE PLACE POUR "L'INFIRMIÈRE CRACHAIT DANS..."

PAS DE DÉTRAQUÉS DANS MON CINÉMA!

DÉGAGEZ! J'AI APPELÉ LA POLICE!

?!

JE TE L'AVAIS DIT!

?   ?   ?

485

484A

ET ALORS ? C'EST SUPER BON, ON POURRAIT EN MANGER TOUS LES JOURS !

MAIS ENFIN, KID ! ON NE PEUT PAS MANGER ÇA TOUS LES JOURS !

1000 CALORIES SUR UN REPAS ?! TOUS LES JOURS ?! TU IMAGINES COMMENT JE DEVIENDRAIS ?!

SIGNORINA PADDLE ! MA MEILLEURE CLIENTE !

LE MENU DE LA TRUFFE DORÉE : FOIE GRAS AU BEURRE DE SALAMI, CANARD DANS SON GRAS AU GRUYÈRE, CHARIOT DE DESSERTS GOURMANDS ET SON PLATEAU DE FROMAGES AFFINÉS !

2000 CALORIES !

GRMMBL

BONJOUR MÉDÈME PADDLE.

VOTRE TABLE EST PRÊTE.

TRÈS EN BEAUTÉ CE SOIR.

...ET EN PLUS, IL COÛTE 5 FOIS PLUS CHER QUE L'ITALIEN !

Y A DE QUOI SE RUINER !

J'AI FAIM !

DEEP PUR FORE VORS

GR

C'EST UNE TECHNOLOGIE TRÈS AU POINT ! VOUS GLISSEZ CECI DANS VOTRE OREILLE, ET LE TOUR EST JOUÉ !

ÇA A L'AIR PRATIQUE !

PHONE

MOBILE

C'EST RACCORDÉ SUR VOTRE PORTABLE. VOUS POUVEZ PASSER ET RECEVOIR VOS APPELS EN GARDANT VOS MAINS LIBRES !

SUPER LOOK

VENDU !

AH ? CHOUETTE !

UN PREMIER APPEL !

ALLO ?

TRIOUIIIIIT

SALUT CAROLE !

INVITER THOMAS À LA MAISON CET APRÈS-MIDI ?

OUI, PAS DE PROBLÈME !

OK, À PLUS TARD !

GÉNIAL !

ÇA MARCHE SUPER BIEN !

KLIK

TU AS ENTENDU, LE COPAIN DE TA SŒUR EST À LA MAISON...

PAS DE MOQUERIE, HEIN ?

ON NE REFUSE RIEN À UN MAN IN BLACK !

ALLO ?

SALUT ROBERT !

QUOI ? LA DERNIÈRE BLAGUE DU BUREAU ?!

NON, C'EST QUOI ?

BON, JE VAIS DIRE BONJOUR À TON FUTUR BEAU-FILS ...

TRIOUIIIIIT

SALUT KID !

PAPA EST LÀ ?

SALUT THOMAS !

OUI, IL EST LÀ...

HA ! HA ! HA !

QUOI ?! LA CAROTTE RÉPOND QUOI ?!

LA CAROTTE RÉPOND QUOI ?!

KRRR KRRR

KRRR KRRR

PAPA, THOMAS EST LÀ, ET... EUH..

C'ÉTAIT UN CONCOURS DE CIRCONSTANCES.

TU ME PARLES, LÀ, OU TU TÉLÉPHONES ?

TU RACONTES LA BLAGUE ?

497

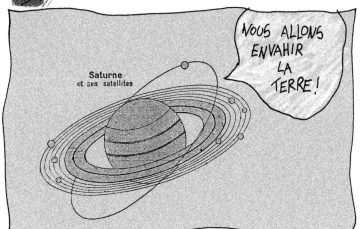

Saturne et ses satellites

NOUS ALLONS ENVAHIR LA TERRE!

XR3-28 ET 4XZ-17, VOUS ALLEZ FAIRE UN VOYAGE DE RECONNAISSANCE!

OUI, CHEF

BIEN, CHEF

Coulemelle

Bolet comestible ou Cèpe de Bordeaux

VOUS ÊTES INTELLIGENT, CHEF!

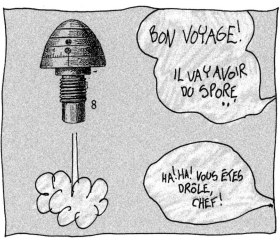

8

BON VOYAGE! IL VA Y AVOIR DU SPORE...

HA! HA! VOUS ÊTES DRÔLE, CHEF!

VOILÀ, NOUS Y SOMMES! ON VA VOIR À QUOI RESSEMBLENT LES TERRIENS!

STATION SERVICE

ON VA VOIR ICI!

OK!

?!

EUH... ALLÔ?

Amanite

V.   C.

GAS

REGULAR

GAS STATION

FIG. 291.

RAPPORT XR3-28/4XZ-17

LES TERRIENS SONT BIZARRES. ILS DORMENT DEBOUT AVEC UN DOIGT DANS L'OREILLE.

HA! HA! ON VA ENVAHIR CETTE PLANÈTE FACILEMENT!

VOUS ÊTES GÉNIAL, CHEF!

507

HMM... ILS JOUENT AVEC TES VIEILLES ENCYCLOPÉDIES!

BAH... C'EST MOINS BÊTE QUE LEURS JEUX VIDÉO, NON?

ÇA, C'EST PAS SÛR...

Panel 1: HÉ, LES GARS! J'AI TROUVÉ UN MAGAZINE QUI ORGANISE UN CONCOURS DE BD!

Panel 2: ON VA FAIRE UNE BD ET LEUR ENVOYER.

COOL!

HMM... FAIRE UNE VRAIE BD, CE N'EST PAS FACILE...

BEDERAMA

Panel 3: RIEN QUE POUR DESSINER UN PERSONNAGE QUI COURT, IL FAUT COMPRENDRE LA MÉCANIQUE DES OS DE LA JAMBE...

Panel 4: ... ET PUIS DES MUSCLES!

C'EST SUPER DUR, ON N'EST PAS DES MICHEL-ANGE!

TU COMPLIQUES TROP...

Panel 5: DANS LES MANGAS, POUR DESSINER UN BONHOMME QUI COURT, ON FAIT COMME ÇA : TU DESSINES D'ABORD LE DESSOUS ...

COMME ÇA ...

C'EST QUI MICKEY L'ANGE?

Panel 6: ...ET POUR LE DESSOUS, TU FAIS JUSTE QUELQUES LIGNES DE MOUVEMENT!

AH OUAIS!

Panel 7: MAIS IL FAUDRA AUSSI DESSINER UN VISAGE!

PAS DE PROBLÈME, ON FAIT COMME ÇA! LE PLUS IMPORTANT, C'EST LES YEUX... D'ABORD 2 GRANDS RONDS!

Panel 8: ENSUITE UNE GROSSE PUPILLE NOIRE... .. ET DANS LA PUPILLE DEUX RONDS BLANCS, C'EST TOUT!

Panel 9: UN POINT POUR LE NEZ, UN TRAIT POUR LA BOUCHE.. QUELQUES CHEVEUX, ET HOP!

EFFECTIVEMENT, C'EST PAS MAL DU TOUT! C'EST GÉNIAL!

Panel 10: C'EST PAS MAL, MAIS JE CRAINS QUE CE NE SOIT PAS ASSEZ!

HORACE, TU NE SAIS PAS DESSINER QUELQUE CHOSE?

JE FAIS D'EXCELLENTS RIKIKI!

502A

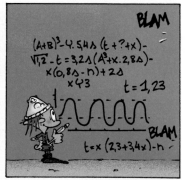

TU CHERCHES UNE IDÉE DE CADEAU POUR KID ?

GAW GAW GAW

TU PEUX LUI ACHETER UNE FIGURINE DU PETIT BARBARE,

ÇA, ÇA NE RATE JAMAIS !

AH !

OUI, HA! HA! JE DOIS POUVOIR VOUS TROUVER ÇA !

FORMIDABLE !

J'AI DEUX MODÈLES...

IL VOUS FAUT LE GRAND OU LE PETIT ?

LE PETIT, JE VOUS PRIE...

AVEC L'ÂGE, MON AUDITION ME JOUE SOUVENT DES TOURS, MAIS JE SUIS SÛR QU'ON M'A DIT UN PETIT !

IMPEC' JE VAIS VOUS CHERCHER ÇA...

JE VOUS FAIS UN EMBALLAGE CADEAU, J'IMAGINE ?

OUI, MERCI ! AH, MON PETIT-FILS VA ÊTRE CONTENT !

YIIAARR !

UN PETIT BABAR !

C'EST TON PÈRE QUI M'A DONNÉ L'IDÉE !

MIDAM-PATELIN (508)

(39)

505A

RRRRRRRRRRRRr

CUISINE

ETCHUP!

TCH!

C'EST POUR ÇA QU'IL Y A DES BAINS DE BOULES DANS TOUS LES FAST-FOODS !

MOUAIS, J'ÉTAIS SÛR QUE C'ÉTAIT PAS 100% PUR BOEUF COMME DANS LEUR PUB !

490

OUI, C'EST UNE NOUVELLE COLLECTION DE POUPÉES QUI FAIT FUREUR !

JE VOUS FAIS UN EMBALLAGE CADEAU ?

OUI, MERCI !

MA FILLE TERMINE L'ANNÉE PREMIÈRE DE SA CLASSE !

C'EST UNE FILLE QUI COMPREND TRÈS VITE...

JE VAIS AUSSI LUI FAIRE SON DESSERT PRÉFÉRÉ !

CRÊPES AU COULIS DE FRAISES FAIT MAISON !

PREMIÈRE DE CLASSE !

IL AURA QUAND MÊME FALLU QUE KID LUI DISE QU'IL PRÉFÈRE UNE TÊTE BIEN FORMÉE, QU'UNE TÊTE BIEN PLEINE ...

SACRÉ KID !

VVRRRRRRRR

BON, ILS VONT RENTRER DE L'ÉCOLE, JE VAIS COMMENCER LES CRÊPES !

BOP

BUNK

CATASTROPHE !

LE COULIS EST TOMBÉ SUR LE CADEAU !

AÏE ! AÏE ! AÏE !

ÇA A COULÉ JUSQU'À L'INTÉRIEUR ...

LA POUPÉE EST FOUTUE !

AAAAAAHH

IL Y A UNE EXPLICATION.

C'EST MON PAPA À MOI, ÇA !

IL VA FALLOIR M'EXPLIQUER LENTEMENT...

503

Deux premiers projets de couverture avant d'opter pour la couverture définitive.

Planche 496 – scénario.
Midam a toujours un carnet où il note ses idées. Pour la planche 496, l'idée du gag lui est venue lors d'un déplacement à Key West. Midam y logeait près d'une marina où beaucoup d'oiseaux passaient.

Planche 499 – scénario.

Planche 505B – encrage.
Documentation prise aux Universal Studios (Orlando)

Planche 499 – croquis définitifs.

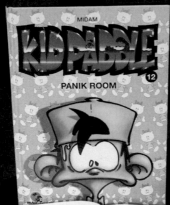
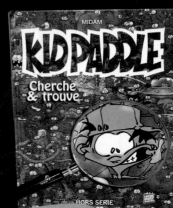

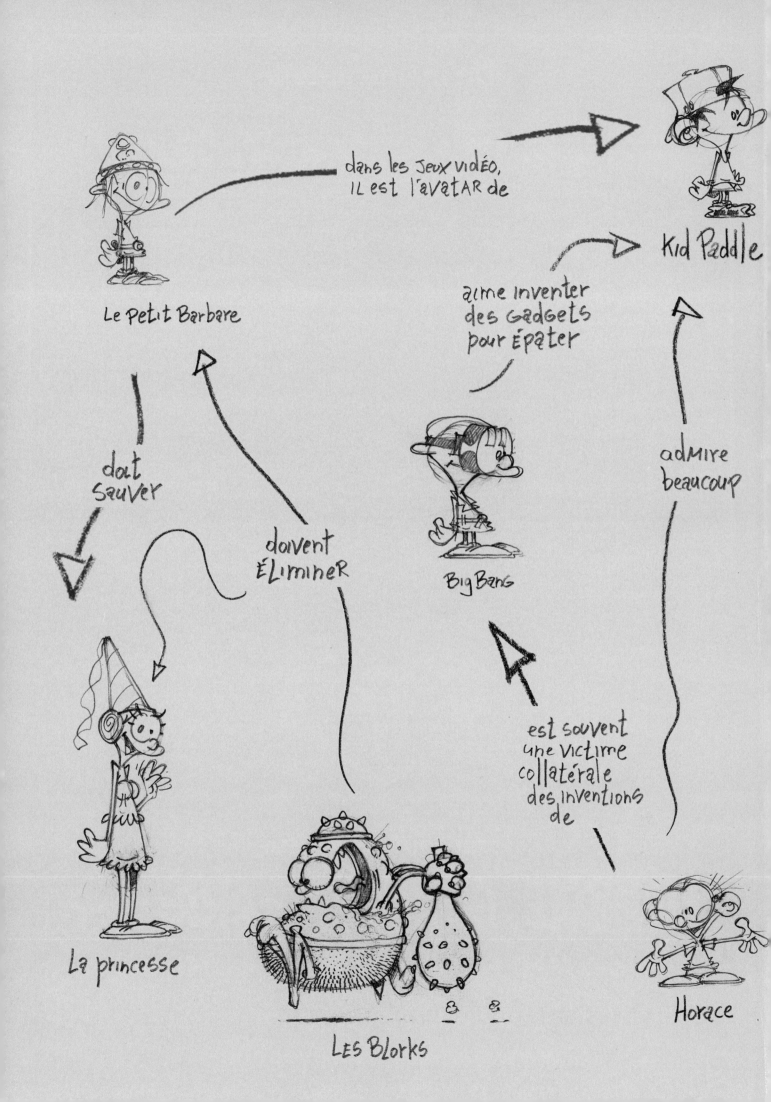

dans les jeux vidéo,
il est l'avatar de

Kid Paddle

Le Petit Barbare

aime inventer
des gadgets
pour épater

doit
sauver

doivent
éliminer

Big Bang

admire
beaucoup

La princesse

est souvent
une victime
collatérale
des inventions
de

Les Blorks

Horace